HERBERT VON
KARAJAN

GEORGES
BIZET

Carmen

HERBERT VON KARAJAN

VOLUME 1 **LUDWIG VAN BEETHOVEN**
Symphonies n°5, n°6 « Pastorale » & n°9 « Avec chœur »
Schwarzkopf, Höffgen, Haefliger, Adelmann
Philharmonia Orchestra and Chorus

VOLUME 2 **WOLFGANG AMADEUS MOZART**
Concertos pour piano n°20, 21, 23 & 24
W. Kempff, D. Lipatti, W. Gieseking
Philharmonia Orchestra

VOLUME 3 **PIOTR ILITCH TCHAÏKOVSKI**
Musique de ballet : *Le Lac des cygnes* (suite), *La Belle au bois dormant* (suite), *Casse-Noisette* (suite), *Ouverture 1812*
Borodine : *Danses polovtsiennes*
Philharmonia Orchestra, Orchestre symphonique de Vienne

VOLUME 4 **GEORGES BIZET**
Carmen
Simionato, Gedda, Güden, Roux
Orchestre Symphonique de Vienne

VOLUME 5 **LUDWIG VAN BEETHOVEN**
Concertos pour piano n°4, n°5 « L'Empereur », Concerto pour violon
Philharmonia Orchestra

VOLUME 6 **WOLFGANG AMADEUS MOZART**
Les Noces de Figaro
Philharmonia Orchestra

VOLUME 7 **JEAN-SÉBASTIEN BACH**
Messe en si mineur
Schwarzkopf, Höffgen, Gedda, Rehfuss
Orchestre et Chœurs de la Société des Amis de Vienne

VOLUME 8 **FRANZ SCHUBERT**
Symphonies n°5, n°8 « Inachevée »
Schumann : *Symphonie n°4, Concerto pour piano*
Philharmonia Orchestra

VOLUME 9 **WOLFGANG AMADEUS MOZART**
Concerto pour clarinette, Sérénades, Petite musique de nuit...
Philharmonia Orchestra

VOLUME 10 **HECTOR BERLIOZ**
Symphonie Fantastique
Franck : *Variations Symphoniques,* **Roussel :** *Symphonie n°4*
Philharmonia Orchestra

VOLUME 11 **JOHANN & JOSEPH STRAUSS**
Valses et *polkas célèbres, La Chauve-Souris* (extraits)
Schwarzkopf, Steich, Gedda, Krebs, Kunz
Philharmonia Orchestra

VOLUME 12 **LUDWIG VAN BEETHOVEN**
Symphonies n°1, n°2 & n°3, ouvertures
Philharmonia Orchestra

VOLUME 13 **KARAJAN & LA MUSIQUE FRANÇAISE**
G. Bizet : *L'Arlésienne* (suites n°1 et n°2) – **C. Gounod :** *Faust*
É. Chabrier : *Espagna* – **J. Massenet :** *Méditation de Thaïs*
H. Berlioz : *Carnaval romain* (ouverture)…
Philharmonia Orchestra et Chœur

VOLUME 14 **GIUSEPPE VERDI**
Le Trouvère
Callas, Di Stefano, Panerai, Barbieri, Zaccaria
Chœurs et Orchestre de la Scala de Milan

VOLUME 15 **WOLFGANG AMADEUS MOZART**
Symphonies n°35 « Haffner », n°38 « Prague », n°39, n°40 & n°41 « Jupiter »
Philharmonia Orchestra

VOLUME 16 **LUDWIG VAN BEETHOVEN**
Symphonies n° 4, 7, 8, Eléonore ouverture
Philharmonia Orchestra

VOLUME 17 **GIACOMO PUCCINI**
Madame Butterfly
Callas, Di Stefano, Panerai, Barbieri, Zaccaria
Chœurs et Orchestre de la Scala de Milan

VOLUME 18 **ANTON DVORAK**
Symphonie n°9 « Du nouveau monde », Danses slaves
Smetana: La Moldau, **Grieg :** Concerto pour piano
Philharmonia Orchestra, Orchestre Philharmonique de Berlin

VOLUME 19 **KARAJAN & L'OPÉRA**
J. Offenbach : *Orphée aux enfers* (ouverture) – **G. Rossini :** *Guillaume Tell* (ouverture) – **W.A Mozart :** *La Flûte Enchantée, Leoncavallo– Pagliacci…*
Philharmonia Orchestra et Chœur

VOLUME 20 **JOHANNES BRAHMS**
Symphonies n°1, n°2 & n°4, Variations sur un thème de Haydn
Philharmonia Orchestra

CRÉDITS

LE FIGARO

Directeur général - directeur de la publication : Francis Morel
Direction du projet: Lionel Rabiet
Direction d'édition: Stéphane Chabenat, Éditions de l'Opportun
Direction artistique: Constance Gournay
Fabrication: Marion de Chalonge
Coordination : Emilie Bagault, Ana Sanabria
Maquette: IDzine
Suivi éditorial: Bénédicte Gaillard
Mastering: Art & Son
Photographies: DR, Rue des Archives, Getty

Edité par: La Société du Figaro
14, boulevard Haussmann - 75009 Paris
Tél.: 01 57 08 50 00 - www.lefigaro.fr
Dépôt légal : janvier 2010

ISBN Collection : 978-2-8105-0200-4
ISBN volume n°4 : 978-2-8105-0204-2

Achevé d'imprimer : janvier 2010
Fabriqué par Pozzoli (Italie)

Georges Bizet
(1838 – 1875)

CD1

Premier acte

I)	Prélude	3'29
II)	Sur la place, chacun passe (chœur, Morales, Micaëla)	5'48
III)	Avec la garde montante (chœur, Morales, Don José, Zuniga)	5'04
IV)	La cloche a sonné (chœur)	4'36
V)	Quand je vous aimerai ? – L'amour est un oiseau rebelle (Carmen, chœur)	4'54
VI)	Carmen, sur tes pas nous nous pressons tous – Quels regards (Chœur, Don José, Micaëla)	2'36
VII)	Parle moi de ma mère ! – Reste-là maintenant (Don José, Micaëla)	10'29
VIII)	Que se passe-t-il donc là-bas – Au secours ! Au secours !Mon officier c'était une querelle – Tra la la la, coupe-moi brûle-moi (Zuniga, chœur, Don José, Carmen)	5'38
IX)	Où me conduirez-vous ? – Près des remparts de Séville (Carmen, Don José)	5'30
X)	Voici l'ordre, partez et faites bonne garde (Zuniga, Carmen)	2'34
XI)	Entracte	1'33

Deuxième acte

XII)	Les tringles des sistres tintaient (Carmen, Frasquita, Mercédès)	4'21
XIII)	Mesieurs, Pastia me dit – Vivat, vivat le toréro (Frasquita, Zuniga, Carmen, Mercédès, chœur	2'04
XIV)	Votre toast, je peux vous le rendre (Escamillo, chœur, Frasquita, Mercédès, Carmen, Moralès, Zuniga)	4'55
XV)	La belle, un mot (Escamillo, Carmen, Zuniga)	1'37
XVI)	Eh bien, vite, quelles nouvelles – Nous avons en tête une affaire (Frasquita, Dancaïre, Mercédès, Carmen, Remendado)	5'33

CD2

I)	Halte-là ! Qui va là? (Don José, Carmen, Frasquita, Mercédès, Dancaïre, Remendado)	1'30
II)	José, c'est toi ! – Je vais danser en votre honneur (Carmen, Don José)	5'32
III)	La fleur que tu m'avais jetée (Don José)	3'47
IV)	Non ! tu ne m'aimes pas (Carmen, Don José)	3'47
V)	Holà ! Carmen ! Holà ! – Bel officier (Zuniga, Don José, Carmen, Dancaïre, Remendado, chœur, Frasquita, Mercédès)	5'31
VI)	Entracte	2'54

Troisième acte

VII)	Écoute, compagnon, écoute ! – Que regardes-tu donc ? (Chœur, Frasquita, Mercédès, Carmen, Don José, Remendado, Dancaïre)	6'44
VIII)	Mêlons ! – Coupons ! (Frasquita, Mercédès, Carmen)	6'44
IX)	Eh bien ? – Quant au douanier, c'est notre affaire (Carmen, Dancaïre, Frasquita, Mercédès, chœur, Romendado)	3'52
X)	C'est des contrebandiers – Je dis que rien ne m'épouvante (Micaëla)	5'37
XI)	Je ne me trompe pas – Je suis Escamillo (Micaëla, Escamillo, Don José)	3'39
XII)	Hola ! José (Carmen, Escamillo, Dancaïre, Don José, Frasquita, Mercédès, chœur, Remendado, Micaëla)	7'51
XIII)	Entracte	2'09

Quatrième acte

XIV)	À deux cuartos (Chœur, Zuniga)	3'07
XV)	Les voici, voici la quadrille (chœur)	3'09
XVI)	Si tu m'aimais, Carmen (Escamillo, Carmen, chœur, Frasquita, Mercédès)	3'09
XVII)	C'est toi ? – C'est moi (Carmen, Don José, chœur)	8'20

Carmen : Giulietta Simionato - Don José : Nicolai Gedda - Micaëla : Hilde Güden - Escamillo : Michel Roux
Frasquita : Graziella Sciutti - Mercédès : Luisa Ribacchi - Dancaïre : Gino del Signore - Remendado : Mario Carlin
Moeales : Enzo Sordello - Zuniga : Frederick Guthrie - Chœur d'enfants du Conservatoire de Vienne
Singverein der Gesellschaft der Musikfreunde in Wien - Orchestre Symphonique de Vienne
Herbert von KARAJAN - Enregistrement public 1954

Herbert von Karajan
une vie en musique...

Le nom d'Herbert von Karajan est, avec ceux de Maria Callas et de Luciano Pavarotti, le seul parmi les vedettes de la musique classique qui ait un rayonnement mondial. De surcroît, comme Maria Callas, mais sur une durée plus longue, Herbert von Karajan a été une vraie star médiatique, une personnalité de la jet-set internationale.

C'est aussi, bien sûr et d'abord, un des plus grands musiciens de l'Histoire de la musique et, assurément, l'image même du chef d'orchestre pour plusieurs générations de spectateurs – d'abord parce qu'il était beau et que sa photogénie s'accorde tout à fait à l'image populaire quant à ce que représente un chef d'orchestre.

C'est enfin le premier artiste à avoir perçu clairement l'apport de la technologie dans la diffusion de la musique, à travers le disque et ses évolutions – puis plus tard à travers l'image.

Personnalité multiple et moderne, Herbert von Karajan a droit, plus que tout autre artiste, à la reconnaissance des mélomanes et des discophiles. Il mérite donc qu'on retrace, à travers sa vie, ses lumières et ses ombres, et à travers ses disques essentiels (parmi les quelque 900 qu'il a enregistrés !), les jalons d'un destin unique si intimement lié à la musique. Car son destin se confond avec cette Histoire de la musique où nous puisons encore aujourd'hui ces bonheurs qui embellissent la vie.

ALAIN DUAULT

HERBERT VON KARAJAN
L'EXCELLENCE ET LA PASSION

par Alain Duault

DR

Des pages qui se tournent

En 1935, Herbert von Karajan, ayant accepté d'adhérer au Parti nazi, est le Directeur de la musique d'Aix-la-Chapelle. Durant ces années, le jeune homme peut déployer ses talents, organiser des concerts, mettre en œuvre sa rigueur au travail, donner une dynamique à la troupe de l'Opéra, proposer des programmes moins routiniers que ceux qui s'y étaient établis et, à l'Opéra précisément, faire travailler les chanteurs… et les chanteuses. C'est ainsi qu'il va bientôt faire travailler en particulier une jolie blonde, de onze ans son aînée, une certaine Elmy Holgerloef, diva d'opérette aux charmes suffisamment appétissants pour séduire le jeune chef. L'idylle devient vite une romance, on jase dans les couloirs de l'Opéra : pour couper court aux rumeurs (fondées !), et parce qu'il aime déjà que tout aille vite, Herbert von Karajan épouse Elmy Holgerloef. Nous sommes à la fin des années 1930, les préparatifs de guerre grondent en Europe. Le jeune couple se passionne surtout sur ce qui les réunit, l'amour de la musique et une gourmandise sensuelle – mais semble-t-il dans des proportions différentes pour l'un et l'autre. Le mariage bat bientôt de l'aile : finalement Herbert et Elmy constatent qu'ils s'étaient sans doute trop vite emballés et divorcent alors que la France et l'Angleterre sont entrées en guerre contre l'Allemagne. Le jeune Karajan se retrouve donc seul au début des années 40… Pas pour longtemps car il est séduisant et qu'il n'a guère de mal à faire « craquer » les jeunes artistes toujours fascinées par la figure érotique du chef… Bientôt, une jeune et très jolie brune est engagée à Aix-la-Chapelle au service des relations publiques : elle vient de la grande bourgeoisie, elle a un charme piquant qui fouette le jeune homme. Il la dévisage avec envie, elle le regarde avec langueur… Un flirt d'abord, puis une liaison : le plaisir emporte les jeunes gens. Et cette fois ils partagent tout, la passion d'être ensemble et la passion de la musique. Tant et si

“ Peu importe pour Karajan, il aime Anita et l'épouse le 22 octobre 1942 ”

bien qu'Herbert von Karajan est à nouveau tenté par le mariage. C'est alors qu'il découvre que le grand-père de cette jeune Anita Güterman est juif… Pour un membre du Parti nazi, c'est un obstacle de taille ! Peu importe pour Karajan, il aime Anita et l'épouse le 22 octobre 1942.

Est-ce une prise de conscience alors ? Toujours est-il que, dix jours après ce mariage, Karajan demande à quitter le Parti nazi.

Mal lui en prend : devenu aussitôt *persona non grata* auprès du gouvernement et de l'appareil du parti, il perd toute chance de pouvoir conserver un poste stable, encore moins d'en briguer un nouveau. Ainsi, quand Karl Böhm quitte l'Opéra de Dresde, la candidature de Karajan est rejetée – sur ordre exprès, dit-on, d'Hitler lui-même… En fait, les nazis n'apprécient guère, semble-t-il, la suffisance de Karajan qui ne se prive pas, très tôt, de jouer les divas avec une arrogance de prima donna. De plus, il n'hésite pas à programmer des œuvres interdites par le ministère de la Culture du Reich ! Karajan agace Hitler… qui lui préfère Wilhelm Furtwängler, le tenant de la grande tradition allemande, dont la jalousie envers Karajan est légendaire.

Sa carrière souffrira pourtant de cette longue ambiguïté et, en 1945, il comprend qu'il lui faut fuir le IIIe Reich en ruines. Il gagne d'abord Milan puis, au bout de quelques semaines, il se réfugie dans une maison au bord du lac de Côme, dans un hangar à bateau, sans un sou. La situation ne peut pas durer. Finalement, il décide de rentrer à Vienne : il va y subir durant deux ans les longs interrogatoires des commissions de « dénazification ». C'est humiliant sans doute mais il ne se plaint pas, ce n'est pas son genre. Il sait aussi que c'est le prix à payer pour son erreur de jugement d'abord, pour ses faiblesses ensuite, pour ses compromissions. En 1947 enfin, il est officiellement dénazifié. La page est tournée. •

Ci-contre : Herbert von Karajan en pleine répétition avec toute sa détermination et sa fougue !

GUIDE D'ÉCOUTE

CD 1&2

GEORGES BIZET

Carmen

CD 1 : Carmen (Actes 1 et 2)

CD 2 : Carmen (Actes 3 et 4)

“Les yeux fermés, la crinière argentée, la battue ample, le corps fluide et comme en lévitation, maître d'une musique qui semble jaillir de ses doigts, la buvant et la respirant de tout son être, Herbert von Karajan dirige. Machine de luxe, son orchestre obéit et répond comme un seul homme à la moindre de ses oscillations. Autour de lui, les caméras le cernent, l'observent et filment sa Majesté la Musique dans l'exercice de son art. Ces caméras, ce sont peut-être celles d'Henri-Georges Clouzot ou de François Reichenbach, ou, qui sait… ? Karajan a tellement été filmé ! Ce déluge d'images et de films du maestro à l'œuvre dans Beethoven, Mozart, Brahms ou Tchaïkovski a forgé dans la mémoire collective et encore plus auprès du « grand public » le portrait d'un chef exclusivement dévoué au répertoire instrumental, pour qui la musique symphonique aurait été le cœur des activités. Or, Herbert von Karajan restera l'un des plus grands chefs d'opéras du XXe siècle.

Georges BIZET

Toute sa vie et sa carrière tournent autour de l'opéra, dont il voulut maîtriser les moindres rouages, signant lui-même les mises en scène des spectacles qu'il dirigeait, et peaufinant, sur les scènes de Milan, Vienne, Salzbourg, son profil de « directeur général de la musique en Europe ». Karajan s'attèle à l'opéra à peine ses études terminées : en 1929, il est directeur musical à l'opéra d'Ulm ; cinq ans plus tard il fait ses débuts à Aix-la-Chapelle en dirigeant *Fidelio,* l'unique opéra de Beethoven. Puis en 1937, c'est *Tristan et Isolde* à l'opéra de Vienne, suivi de ses premiers opéras à l'opéra de Berlin. Pour son tout premier enregistrement, en 1938, avec la Staatskapelle de Berlin, il choisit l'ouverture d'un opéra, celle de la *Flûte enchantée* de Mozart. Enfin, en 1948, Karajan devient directeur artistique de la saison allemande de la Scala de Milan, avant de diriger, trois ans plus tard, sa première *Tétralogie* ainsi que les *Maîtres chanteurs de Nuremberg* au Festival Wagner de Bayreuth. L'année 1956 est celle d'une double consécration : le voici directeur artistique du Festival de Salzbourg, et, bientôt, directeur de l'opéra de Vienne. Et, preuve qu'il n'est en rien un spécialiste exclusif du répertoire lyrique allemand, il dirige *Falstaff* à la Scala et *Otello* à Vienne, dès 1957. Jusqu'à sa disparition en 1989 (alors que toute son énergie est tournée vers *Un bal masqué* de Verdi), « son » Festival de Salzbourg sera la vitrine d'un luxe lyrique inouï – un peu

“ Et *Carmen* de Bizet là-dedans ? C'est l'une des œuvres très chères à Karajan, qu'il enregistrera à trois reprises ”

fermée sur elle-même certes, avec les mises en scène du maestro conçues comme de superbes présentoirs pour d'immenses chanteurs – mais au prestige musical incomparable. En fosse comme au studio, Herbert von Karajan fut un chef des plus éclectiques, dirigeant tout le grand répertoire (Mozart, Verdi, Wagner, Strauss et Puccini), et s'aventurant même chez Pizzetti et Monteverdi… Dans les années 1940, il enregistre nombre de préludes et d'ouvertures d'opéra (*La Force du destin* de Verdi, *Sémiramis* de Rossini, *Le Baron tzigane* de Johann Strauss, *Les Maîtres chanteurs* de Wagner…), mais aussi des airs et des scènes avec une poignée d'artistes fidèles. En octobre 1950 naît sa première intégrale d'opéra, les *Noces de Figaro* de Mozart, en compagnie d'Elisabeth Schwarzkopf, Irmgard Seefried, Erich Kunz, George London et de l'Orchestre philharmonique de Vienne. Une incroyable odyssée est lancée.

Une œuvre fétiche

Et *Carmen* de Bizet là-dedans ? C'est l'une des œuvres très chères à Karajan, qu'il enregistrera à trois reprises. La première, en 1963, avec l'Orchestre philharmonique de Vienne autour de Leontyne Price, Franco Corelli, Mirella Freni et Robert Merrill ; la seconde en 1969, avec le même orchestre, Grace Bumbry, Jon Vickers, Mirella Freni et Justino Diaz (pour un film mis en scène par Karajan lui-même) ; et enfin en 1982, avec les Chœurs de l'Opéra de Paris, l'Orchestre philharmonique de Berlin, Agnès Baltsa, José Carreras, Katia Ricciarelli, et José Van Dam. Par ailleurs, plusieurs enregistrements live subsistent : une version prise à Vienne en 1966, une autre à la Scala en 1955, et enfin, celle que nous présentons ici, enregistrée en version de concert au Musikverein, le 8 octobre 1954.

La **musique**
de Georges Bizet
fait confiance à
l'auditeur en le
supposant **intelligent**

Friedrich Nietzsche

Quelques semaines plus tard, Wilhelm Furtwängler s'éteindra, et le 13 décembre précisément, Herbert von Karajan sera élu « chef à vie » de l'Orchestre philharmonique de Berlin – mais c'est une autre histoire. En cette soirée viennoise d'octobre 54, l'héroïne de Bizet est chantée par Giulietta Simionato, le brigadier Don José par Nicolaï Gedda, Micaëla par Hilde Güden et Escamillo par Michel Roux. Karajan dirige le chœur Singverein et l'Orchestre symphonique de Vienne. Avant de revenir sur la distribution, il nous a paru judicieux de rapporter ici les souvenirs du producteur John Culshaw (*Putting the Record Straight,* Londres 1981) qui participa en 1962-1963 à l'enregistrement de *Carmen* aux côtés de Karajan. Certes, ses propos ne se rapportent pas à la présente version, mais la précision avec laquelle Culshaw détaille et analyse le travail du chef nous semble particulièrement bien éclairer les spécificités et subtilités de sa (re)lecture du chef-d'œuvre de Georges Bizet. « Avec Leontyne et les deux autres gitanes, écrit John Culshaw, en pleine possession de leurs moyens, nous venions de terminer le trio des cartes de l'acte III. La direction de Karajan avait été une véritable leçon de musique. Sur le papier, l'accompagnement n'a rien, ou presque rien, de particulier : c'est une série d'accords joués par les cordes, lents, régulièrement espacés, que neuf chefs sur dix traitent avec une sorte de dédain. Ainsi énoncés, ces accords ne posent aucun problème d'exécution et l'intérêt de la partition se trouve dans le chant et dans le texte. La preuve du génie – ou de la magie, on l'appellera comme on voudra – de Karajan, c'est que celui-ci prit une peine infinie à travailler ces simples accords afin de leur donner le timbre exact, la coloration sombre qu'il voulait. Pour cela, il équilibra avec précision les parties du quatuor. Cette méticulosité paraîtra naturelle, voire banale, mais il n'en est rien. À cet endroit, la plupart des chefs laissent aller la musique et se contentent de veiller à ce que l'orchestre et le plateau restent ensemble. Karajan, lui, apportait au trio des cartes la même tension dramatique que les chanteurs ; sa subtilité, néanmoins, était telle qu'il ne cherchait pas pour autant à attirer l'attention, mais simplement à renforcer le caractère dramatique dans son ensemble. Je ne pense pas qu'un seul critique ait remarqué que cet accompagnement n'était pas l'habituel "pam-pom-pam-pom". Ou alors, aucun n'imagina que ça valait la peine d'être signalé. »

Quatuor de vedettes

La *Carmen* de cet enregistrement, l'Italienne Giulietta Simionato, est l'une des plus grandes cantatrices de l'après-guerre. Née en 1910 à Forli, elle étudia le chant à Rovigo et à Milan, et fit sa première apparition publique dès l'âge de 27 ans. Mais c'est en 1932 qu'elle effectua ses débuts officiels, à Montagnana, dans un rôle auquel elle imprimera

« Fort d'une technique exceptionnelle, Gedda est même un "extraterrestre" pour Roberto Alagna qui est un de ses plus fervents admirateurs »

sa marque : Santuzza dans *Cavalleria Rusticana.* Cantonnée aux seconds rôles pendant quelques saisons, elle participa à des tournées à Malte, en Lybie et en Tunisie en 1934-1935. Ses débuts à la Scala de Milan datent de 1936, mais elle en deviendra une vedette à la fin des années 1940. Admirée pour la richesse et l'homogénéité de son timbre, pour son engagement dramatique, aussi bien que pour sa longue tessiture, la Simionato fit merveille dans les rôles de pur *bel canto*, tant chez Bellini et Donizetti, aux côtés notamment de Maria Callas (Norma, Anna Bolena), que chez Rossini, avec des portraits mémorables de Rosina dans *Le Barbier de Séville, Cenerentola* (Cendrillon) ou Isabella dans *L'Italienne à Alger.* Mais son timbre de grand mezzo dramatique convenait idéalement au répertoire verdien (Azucena dans *Le Trouvère*, Amneris dans *Aïda*, Eboli dans *Don Carlo*), et à l'opéra français, qu'elle servit avec flamme – Charlotte *(Werther)*, Dalila *(Samson et Dalila)* et, bien sûr, *Carmen.* Sa classe, son respect du style, et sa voix parfaitement posée et nuancée lui permettent de dessiner une Carmen subtile, jamais forcée ni vulgaire.

Son Don José est alors un ténor en plein devenir, le Suédois Nicolaï Gedda. Né en 1925 à Stockholm, Gedda a passé quelques années en Allemagne puis a étudié à Zürich, avant de débuter sur scène à Stockholm en 1952. Fameux dans Mozart et dans les emplois assez légers, il fera évoluer sa voix vers des rôles beaucoup plus lourds, fort d'une technique exceptionnelle – « c'est un extraterrestre », dit de lui le ténor Roberto Alagna, un fervent admirateur – et de qualités musicales hors pair. Surtout, par son aisance linguistique (il maîtrise à la perfection le suédois, le russe, l'allemand, le français, et l'italien), Gedda s'impose dans un répertoire d'une cinquantaine d'ouvrages, sans compter les oratorios, cantates et messes. Témoin, sa discographie, d'une ampleur et d'un éclectisme exceptionnels. En 1954 à Vienne, Gedda en est encore à ses premiers pas dans Don José. Ce personnage, qui requiert en plus de la ligne et du style, une épaisseur de voix peu aisée à trouver chez de jeunes ténors, semble ici porté et conduit avec une grâce quasi

Herbert von Karajan étudie la partition
avec l'un de ses interprètes

GETTY IMAGES

L'orchestration
de **Bizet** est la seule
que **je supporte**
encore

Friedrich Nietzsche

mozartienne et une élégance de ton bienvenue.
Sa Micaëla est la délicieuse soprano autrichienne Hilde Güden (1917 – 1988), qui fit une brillante carrière dans Mozart (Susanne des *Noces de Figaro*, Zerlina de *Don Giovanni*...), mais aussi dans les rôles aigus du répertoire, chez Richard Strauss (Sophie, Zerbinetta, Zdenka) et chez les italiens (Gilda, Norina, Adina...).

Quant au toréador Escamillo, un grand tenant de la tradition française l'incarne : le baryton-basse Michel Roux (1924 – 1998). Né à Angoulême, cet ancien élève du conservatoire de Bordeaux en est encore à ses débuts lorsque Karajan l'engage dans cette *Carmen*, ayant fait ses premiers pas à l'Opéra-Comique cinq ans plus tôt dans *Lakmé*. Admiré notamment dans les rôles de Méphisto (*Faust* de Gounod et *La Damnation de Faust* de Berlioz), Michel Roux fit merveille dans les rôles de basse chantante du répertoire, par la clarté de sa diction et de son émission, sa distinction naturelle, et sa connaissance cultivée du style français : son Escamillo en est un exemple limpide.

Carmen, l'intrigue

Célébrissime, l'ouverture de *Carmen* s'articule autour de trois thèmes. Tout d'abord, celui de la corrida, qui ouvre le bal et nous éclabousse de couleurs et de lumière, dans un *tutti* éclatant – « un magnifique tapage de cirque » admirait Nietzsche. Le thème du toréador Escamillo prend le relais et entonne la phrase la plus célèbre de toute l'histoire de l'opéra ; Escamillo lui-même la reprendra au deuxième acte, dans le refrain de son air d'entrée chez Lilas Pastia « Toréador, en garde ». Enfin, au moment où ce prélude semble terminé, survient le thème du destin (de Carmen, en fait), sorte de plainte fatale déclamée par l'orchestre dans

d'inquiétantes associations instrumentales, qui reviendront frapper à plusieurs reprises aux moments tragiques – Nietzche, toujours, y voyait une « épigramme sur la passion, ce qu'on a écrit de plus fort à ce sujet, depuis Stendhal ».
L'action de l'opéra, elle, se déroule à Séville, vers 1820.
Le rideau de l'acte I s'ouvre sur une place de la ville, face à la manufacture de tabac, devant la caserne des dragons d'Alcala. Un groupe d'enfants raille et singe les soldats (chœur des gamins : *Avec la garde montante*). Les sentinelles observent les passants, et parmi eux, Micaëla, qui vient s'enquérir de son fiancé, le brigadier Don José. Mais c'est l'heure de sortie des cigarières (chœur des cigarières : *La cloche a sonné*). L'une d'entre elle, la gitane Carmencita, apostrophe Don José (habanera : *L'amour est un oiseau rebelle*), qui en sort troublé, malgré la venue de Micaëla (duo : *Parle-moi de ma mère*). À la suite d'une bagarre, Carmen est arrêtée, et c'est Don José qui en a la charge : Carmen séduit José facilement (séguedille : *Près des remparts*

« Carmen est arrêtée, et c'est Don José qui en a la charge : Carmen séduit José facilement qui lui desserre ses liens, favorisant son évasion »

de Séville), et lui desserre ses liens, favorisant son évasion… Don José se laisse conduire en prison.
L'acte II se déroule dans la taverne de Lilas Pastia. Carmen, entourée de contrebandiers (chanson bohème : *Les tringles des sistres*) reconnaît avoir été fascinée par l'amour du brigadier Don José. Après le passage du toréador Escamillo

(couplets : *Votre toast, je peux vous le rendre*), José et Carmen se retrouvent, face à face (duo : *Je vais danser*) ; il lui avoue son amour *(La fleur que tu m'avais jetée)*, se reprend, mais finalement *(Là-bas, là-bas)*, choisit de rejoindre Carmen et son équipe de contrebandiers.
L'acte III nous entraîne dans la montagne, lieu de réunion des contrebandiers. Parmi eux, Don José, le Dancaïre, le Remendado, Frasquita et Mercédès. Libre, volage, Carmen est étouffée par la passion de Don José, et semble être passée à autre chose. De surcroît, Don José commence à se reprocher d'avoir suivi les brigands. Mais lorsque Carmen le pousse à partir et à la quitter, il la menace de mort (Trio des cartes : *Mêlons, Mercédès*). Micaëla, qui s'est fait guider jusqu'au repaire des bandits, espère y trouver Don José *(Je dis que rien ne m'épouvante)* et se cache momentanément. Arrive alors Escamillo, venu voir Carmen, par amour. Don José, qui monte la garde, identifie le torero comme son rival (duo : *Je suis Escamillo*), sort son couteau et se bat avec lui – jusqu'à ce que les contrebandiers, accourus entre-temps, les séparent. On découvre alors Micaëla, qui exhorte Don José à la suivre, car sa mère est mourante. Don José y consent, moqué par Carmen, mais lance, menaçant, à la bohémienne : « nous nous reverrons ». (Finale : *Holà ! Holà ! José !*)

L'acte IV opère un retour à Séville, devant les arènes. C'est le jour de la corrida, la place est animée – marchands d'eau, d'oranges, d'éventails (chœur : *À deux cuartos*) – et la foule, déchaînée, admire la procession (marche et chœur d'enfants : *Les voici ! les voici !*). Avant d'entrer dans l'arène, Escamillo entonne avec Carmen un bref duo d'amour *(Si tu m'aimes, Carmen)* – qui sonne un peu faux – tandis que Don José les épie. Puis, voici l'ultime confrontation entre

Photographie
de Georges Bizet
compositeur populaire...
à titre posthume.

Georges BIZET

« Est-ce que **Michel-Ange, Homère, Dante, Shakespeare, Beethoven, Cervantès** et **Rabelais** sont **distingués** ? »

Georges Bizet

José et Carmen (Duo : *C'est toi ? C'est moi*) : elle, ne l'aime plus et clame sa liberté absolue, lui la supplie de ne pas l'abandonner. Il insiste, insiste, mais Carmen affronte la mort par sa fierté car José finit par la poignarder. « Vous pouvez m'arrêter… confesse-t-il, alors que la corrida s'achève… C'est moi qui l'ai tuée. Ah ! Carmen ! ma Carmen adorée ! ». Rideau.

Vie et mort de *Carmen*

Difficile d'imaginer aujourd'hui, au vu d'une popularité mondiale record, que *Carmen*, à sa création à l'Opéra-Comique de Paris, le 3 mars 1875, fut un échec cuisant. Difficile d'imaginer… et pourtant, quelques signes avant-coureurs préfigurent la catastrophe. Lorsque Georges Bizet propose comme sujet d'opéra, une adaptation de *Carmen*, la nouvelle de Prosper Mérimée, les librettistes Henri Meilhac et Ludovic Halévy accueillent l'idée avec enthousiasme. Mais le directeur de l'Opéra-Comique, Adolphe de Leuven, lui, est épouvanté, rapporte Halévy dans un article intitulé « La millième de *Carmen* » (1905) : « *Carmen* ! se serait-il écrié, la *Carmen* de Mérimée !... Est-ce qu'elle n'est pas assassinée par son amant ?... Et ce au milieu de voleurs, de bohémiennes, de cigarières !... À l'Opéra-Comique !... le théâtre des familles !... le théâtre des entrevues de mariage !... Nous avons, tous les soirs, cinq ou six loges louées pour ces entrevues… Vous allez mettre notre public en fuite… c'est impossible ! (…) Je vous en prie, tâchez de ne pas la faire mourir. La mort à l'Opéra-Comique !...cela ne s'est jamais vu… entendez-vous, jamais !... Ne la faites-pas mourir !... Je vous en prie, mon cher enfant… » Évidemment Carmen mourra, et évidemment le scandale aura lieu.

Composée en 1873 et 1874 (année durant laquelle Bizet

orchestre sa partition), *Carmen* rencontre de premières réticences dès les répétitions, où orchestre et chœur jugent la partition injouable et inchantable, et surtout, très (trop) exigeante dans le jeu réaliste qu'elle réclame. Au cours de la répétition générale, pourtant, tous les artistes semblent avoir repris confiance, peu à peu gagnés par l'émotion et les frissons suscités par cette musique racée, inventive, dont chaque mesure, dans un chatoiement orchestral virtuose, est parée de sublimes mélodies, qui ne sont pas simplement entêtantes et décoratives, mais qui collent au texte du drame avec une évidence et une vérité bien rares alors dans le répertoire français. Mais le public de la première pourra-t-il réagir positivement s'il a lu dans un journal du matin, avant même la création de l'ouvrage, cette diatribe hargneuse ? « *Carmen* présente des caractères tellement scabreux et des situations tellement dangereuses, que la pièce peut bien facilement être mal prise. » Et l'article de conclure que l'Opéra-Comique va cesser d'être le théâtre des familles et des entrevues galantes… En effet, c'est bel et bien le sujet, son caractère jugé choquant et sa fin tragique qui provoqueront l'incroyable fiasco de la première, donnée en présence des compositeurs Delibes, Gounod, Massenet, d'Indy, Thomas, des écrivains Alphonse Daudet, Alexandre Dumas-fils… La musique, elle, est jugée seulement « bizarre ». Certaines critiques ont beau admirer l'orchestre de *Carmen* « devenu créateur et poète » (Théodore de Banville vante, dans le *National*, un « langage divin exprimant les angoisses, les folies, les célestes aspirations de l'être qui, pétri de fange et d'azur, est ici-bas un passant et un exilé »), le ton général des papiers est virulent, voire incendiaire. Certains articles appellent même au retrait de l'affiche de ce « dévergondage castillan ». Le librettiste Halévy a consigné très précisément les impressions de ce

premier soir, qui restera un moment décisif dans l'histoire de l'opéra : « Bon effet du premier acte, note-t-il, Applaudi le morceau d'entrée de Galli-Marié… Applaudi le duo de Micaëla et de Don José. Bonne fin d'acte.
Applaudissements, rappels, beaucoup de monde sur la scène après cet acte… Bizet très entouré, très félicité. Le second acte, moins heureux. Le début très brillant. Gros effet du morceau d'entrée du torero. Ensuite froideur…
Bizet, à partir de là, s'éloignant de plus en plus de la forme traditionnelle de l'opéra-comique, le public était surpris, décontenancé, dérouté… Moins de monde autour de Bizet pendant l'entracte. Les félicitations moins sincères, gênées, contraintes. La froideur s'accentue au troisième acte…
Seul applaudi par le public l'air de Micaëla, air de coupe ancienne, classique… Encore moins de monde sur scène.
Et après le quatrième acte qui fut glacial de la première scène à la dernière, plus personne… si ce n'est trois ou quatre fidèles et sérieux amis de Bizet. Tous avec des phrases

“En effet, c'est bel et bien le sujet, son caractère jugé choquant et sa fin tragique qui provoqueront l'incroyable fiasco de la première de *Carmen*”

rassurantes sur les lèvres, mais la tristesse dans les yeux. Carmen n'avait pas réussi. »
Âgé de 36 ans seulement au moment de la création de sa *Carmen*, Georges Bizet, déjà très atteint par la maladie, meurt découragé trois mois plus tard, le 3 juin 1875, le soir de la trente-troisième représentation. Est-ce le goût du

Georges BIZET

Je ne connais aucun cas où **l'esprit tragique,** qui est **l'essence** de l'amour, s'exprime avec une semblable **âpreté**, revêt une forme aussi terrible que dans le cri de don José : « C'est moi qui l'ai tuée... »

Friedrich Nietzsche

scandale qui continua d'attirer le public ? Ou bien la nouvelle de la mort du compositeur ? Toujours est-il que *Carmen* fut jouée quarante-cinq fois en 1875, et trois fois encore l'année suivante. Puis elle disparut des scènes parisiennes... pour y effectuer un retour triomphal en 1883, auréolée alors de succès internationaux remportés partout. Car – ironie du sort – lorsque la ville de Vienne découvrit *Carmen*, le 23 octobre 1875, dans la version d'Ernest Guiraud (c'est-à-dire sans dialogues parlés, forme originelle de tout « opéra-comique » mais avec des récitatifs chantés liant les scènes et les airs), elle acclama le chef-d'œuvre de Bizet. Quelques mois seulement après sa disparition. Le succès de *Carmen* se répandit dans le monde entier comme une traînée de poudre, et les Parisiens, qui l'avaient autrefois huée et maudite, furent les derniers à redécouvrir et fêter l'opéra né chez eux.

Un destin malheureux

Des échecs, Georges Bizet en connut un certain nombre au cours de sa courte vie. Fils de musicien, il n'avait jamais eu d'hésitations sur sa vocation. Né le 25 octobre 1838, il entre à l'âge de 9 ans au conservatoire, et a pour professeur de composition Fromental Halévy, son futur beau-père.
En 1855, il compose la belle et lumineuse *Symphonie en ut*, et se retrouve lauréat du Prix de Rome en 1857. La même année, il remporte le prix fondé par Jacques Offenbach pour un petit opéra-comique : c'est *Le Docteur Miracle*. À Rome où il séjourne, Bizet compose *Don Procopio*, autre opéra qui ne sera créé qu'après sa mort. Naissent des mélodies, de superbes (et injustement mal connues) pièces pour piano, mais c'est le théâtre qui l'appelle, irrésistiblement :
« Mon goût se prononce définitivement pour le théâtre, écrit-il à Hector Gruyer, depuis Rome en 1858, et je sens

ROSABEL MORRISO
UNDER THE MANAGEMENT OF
CARME

Affiche représentant la
mythique Carmen de Bizet

vibrer certaines fibres dramatiques que j'ignorais jusqu'à ce jour ». En 1862, il compose un nouvel opéra *La Guzla de l'émir* (partition perdue), *Ivan IV*, puis enfin les envoûtants *Pêcheurs de perles*, qui remportent un joli succès. Échec en

“ Les quelques années qui lui restent, Bizet les consacrera à sa malheureuse *Carmen* ”

revanche pour *La Jolie Fille de Perth*. Quelques années plus tard, dans *La Revue nationale*, Bizet se dévoile, blessé, derrière ces lignes : « Quand un tempérament passionné, violent même ; quand un Verdi dote l'art d'une œuvre vivante et forte, pétrie d'or, de boue, de fiel et de sang, n'allons pas lui dire froidement : “Mais, chef Monsieur, cela manque de goût, cela n'est pas distingué.” Distingué ! Est-ce que Michel-Ange, Homère, Dante, Shakespeare, Beethoven, Cervantès et Rabelais sont distingués ?Nous faut-il donc du génie accommodé à la poudre de riz et à la pâte d'amantes douces ? » En 1872 voient le jour l'opéra *Djamileh*, et surtout la musique de scène de *L'Arlésienne*, pour la pièce de Daudet. Sous forme de suite orchestrale, cette page d'une extraordinaire invention, à la fois solaire, lyrique et désespérée, deviendra l'une de ses pages les plus populaires. Les quelques années qui lui restent, Bizet les consacrera à sa malheureuse *Carmen*.

À propos de *Carmen* et de Bizet

Présent aux premières de *Carmen*, le poète, critique et dramaturge Théodore de Banville consacra ces lignes au compositeur foudroyé : « M. Georges Bizet est un de ces

ambitieux qui veulent que la Lyre chante, souffre et pleure, vive avec notre âme et nous ouvre le monde invisible, et qui ne se contentent pas des turlurettes les plus heureuses et des faridondaines les mieux réussies, quand même ils auraient la gloire d'exécuter des turlututus aux applaudissements d'un peuple immense ! (...) Au lieu de ces jolies poupées bleu ciel et couleur de rose, qui firent la joie de nos pères, Bizet a voulu montrer de vrais hommes et de vraies femmes éblouis, torturés par la passion, s'agitant an vent de la folie, et dont l'orchestre nous raconterait les angoisses, les jalousies, les colères, les entraînements insensés. »
Enfin, l'Allemand Friedrich Nieztsche, wagnérien repenti, signe de bien belles phrases sur l'auteur de *Carmen* dans *Le cas Wagner* (1888) : « Cette musique de Bizet me semble parfaite. Elle approche avec une allure légère, souple, polie. Elle est aimable, elle ne met point en sueur. (...) Avec *Carmen*, on prend congé du nord humide, de toutes les brumes de l'idéal wagnérien. Déjà l'action nous en débarrasse. Elle tient encore de Mérimée la logique dans la passion, la ligne droite, la dure nécessité ; elle possède avant tout ce qui est le propre des pays chauds, la sécheresse de l'air, sa limpidezza. Nous voici, à tous les égards, sous un autre climat. Une autre sensualité, une autre sensibilité, une autre sérénité s'expriment ici. Cette musique est gaie ; mais ce n'est point d'une gaieté française ou allemande. Sa gaieté est africaine ; la fatalité plane au-dessus d'elle, son bonheur est court, soudain, sans merci. J'envie Bizet parce qu'il a eu le courage de cette sensibilité, une sensibilité qui jusqu'à présent n'avait pas trouvé d'expression dans la musique de l'Europe civilisée – je veux dire cette sensibilité méridionale, cuivrée, ardente... Quel bien nous font les après-midi dorés de son bonheur !...» Et si nous redécouvrions *Carmen* ?

THIBAULT BOUCHARD

Mon **goût** se prononce définitivement pour le **théâtre** et je sens vibrer certaines **fibres dramatiques** que j'ignorais jusqu'à ce jour

Georges Bizet

GEORGES
BIZET
EN QUELQUES DATES

DR

Georges BIZET
en quelques dates

1838
Il naît à Paris, le 25 octobre

1848
Il entre au Conservatoire de Paris dans la classe d'Antoine Marmontel, le 9 octobre

1852
Il obtient son premier prix de piano au Conservatoire de Paris

1855
Il obtient son premier prix d'orgue au Conservatoire de Paris. Il compose la *Symphonie en ut majeur*

1856
Il participe au concours d'opérette organisé par Jacques Offenbach et remporte le premier prix

1857
Pour sa seconde participation, il remporte le Grand Prix de Rome. Il quitte Paris pour Rome le 21 décembre

1861
Sa mère décède le 8 septembre à Paris

1869
Il épouse Geneviève Halevy, fille de son ancien professeur de composition Jacques Halevy

1871
Naissance de son fils Jacques, le 10 juillet

1872
Création de l'*Arlésienne*, le 1er octobre

1875
Création de *Carmen*, le 2 mars. Il meurt à Bougival le 3 juin

LES MOTS
DU CLASSIQUE

LES MOTS DU CLASSIQUE

CADENCE : La cadence correspond à la phrase conclusive d'un morceau, ou à la formule mélodique ou harmonique concluant une phrase musicale. Par extension, ce terme désigne une improvisation placée le plus souvent avant la fin d'un mouvement, et permettant au soliste de faire preuve de sa virtuosité.

CLASSIQUE : Si le terme a bien sûr aujourd'hui d'autres usages, dans le domaine de l'histoire de la musique, l'ère classique est celle qui succède au baroque, et s'étend de la mort de Bach (1750) à 1800 (Beethoven a trente ans). Ses principaux caractères sont la disparition du continuo et l'importance accrue donnée à l'harmonie, au détriment du contrepoint. C'est Joseph Haydn qui assura la transition vers le classique, que Wolfgang Amadeus Mozart s'employa à magnifier.

CONCERTO : Le mot « concerto » provient du latin *concertare* (lutter, rivaliser) : il désigne l'opposition et le dialogue d'un seul instrument (ou groupe d'instruments) avec une formation orchestrale. Née au XVIIe siècle en Italie, cette forme se développa au cours du siècle suivant pour devenir avec Mozart, Haydn, Beethoven et les romantiques, symbole de virtuosité. Le piano (de Haydn et Mozart à Ravel et Bartók), le violon (Mozart, Beethoven, Brahms...), voire le violoncelle, en sont les instruments élus. À l'époque baroque, le concerto grosso a désigné en particulier une forme plus courte dans laquelle un ensemble de solistes (le *concertino*) s'oppose à un orchestre de taille réduite (le *ripieno* ou *concerto grosso*), par opposition au concerto de soliste. Corelli, Bach, Vivaldi, Haendel ont écrit de fameux *concerti grossi*.

CONTREPOINT : Par contrepoint (contraction du latin *punctus contra puctum* : « note contre note ») on désigne l'art de composer, de combiner et de conduire plusieurs voix ou mélodies (polyphonie). Cette technique particulièrement complexe, qui se développa durant la Renaissance et l'époque baroque, utilise comme matériau premier des lignes mélodiques simultanées, au contraire de l'harmonie. Le canon, et surtout la fugue, sont des exemples d'une écriture contrapuntique dont Johann Sebastian Bach demeure le plus grand des dépositaires.

CRESCENDO : Le *crescendo* (« croissant » en italien), qui s'oppose au *decrescendo*, est une indication de nuance désignant, à partir du XVIIIe siècle, l'augmentation progressive de l'intensité du son. Il s'est vu confier de plus en plus d'importance à mesure que s'amplifiaient les effectifs orchestraux. Le

HERBERT VON KARAJAN

VOLUME 1 **LUDWIG VAN BEETHOVEN**
Symphonies n°5, n°6 « Pastorale » & n°9 « Avec chœur »
Schwarzkopf, Höffgen, Haefliger, Adelmann
Philharmonia Orchestra and Chorus

VOLUME 2 **WOLFGANG AMADEUS MOZART**
Concertos pour piano n°20, 21, 23 & 24
W. Kempff, D. Lipatti, W. Gieseking
Philharmonia Orchestra

VOLUME 3 **PIOTR ILITCH TCHAÏKOVSKI**
Musique de ballet : *Le Lac des cygnes* (suite), *La Belle au bois dormant* (suite), *Casse-Noisette* (suite), *Ouverture 1812*
Borodine : *Danses polovtsiennes*
Philharmonia Orchestra, Orchestre symphonique de Vienne

VOLUME 4 **GEORGES BIZET**
Carmen
Simionato, Gedda, Güden, Roux
Orchestre Symphonique de Vienne

VOLUME 5 **LUDWIG VAN BEETHOVEN**
Concertos pour piano n°4, n°5 « L'Empereur », Concerto pour violon
Philharmonia Orchestra

VOLUME 6 **WOLFGANG AMADEUS MOZART**
Les Noces de Figaro
Philharmonia Orchestra

VOLUME 7 **JEAN-SÉBASTIEN BACH**
Messe en si mineur
Schwarzkopf, Höffgen, Gedda, Rehfuss
Orchestre et Chœurs de la Société des Amis de Vienne

VOLUME 8 **FRANZ SCHUBERT**
Symphonies n°5, n°8 « Inachevée »
Schumann : *Symphonie n°4, Concerto pour piano*
Philharmonia Orchestra

VOLUME 9 **WOLFGANG AMADEUS MOZART**
Concerto pour clarinette, Sérénades, Petite musique de nuit...
Philharmonia Orchestra

VOLUME 10 **HECTOR BERLIOZ**
Symphonie Fantastique
Franck : *Variations Symphoniques,* **Roussel :** *Symphonie n°4*
Philharmonia Orchestra

Boléro de Ravel est l'exemple parfait d'un long *crescendo* obtenu par accumulation successive d'instruments.

FANTAISIE : La fantaisie désigne une pièce instrumentale sans forme précisément définissable, et présentant parfois le caractère de l'improvisation. D'abord essentiellement réservé au piano et au clavecin, le genre se développa ensuite autour du piano et de l'orchestre, prenant souvent pour objet un thème développé ensuite à l'envi.

HARMONIE : L'harmonie se distingue de la mélodie, qui ordonne « horizontalement » une succession de notes : c'est l'empilement « vertical » de notes sous forme d'accords (accords parfaits, majeurs, mineurs...), dont la combinaison, suivant des règles très strictes, est à la base de la musique tonale (qui s'appuie sur le principe de la tonalité), et s'oppose à la musique dodécaphonique.

LEGATO : Jouer *legato* (« lié » en italien), c'est jouer sans détacher les notes et sans interruption entre les sons. Ce terme fait son apparition vers la fin du XVIIIe siècle et s'oppose au jeu non *legato* et au jeu *staccato* (« piqué », « détaché »).

MÉLODIE : La mélodie désigne d'une part la succession des différentes notes qui, s'opposant à l'harmonie, constitue avec celle-ci le paramètre fondamental de l'histoire de la musique. D'autre part, le terme correspond également à une pièce vocale avec ou sans accompagnement.

OPÉRA : L'opéra, l'un des genres les plus féconds de l'histoire de la musique occidentale, a fait son apparition en Italie vers le début du XVIIe siècle. Il s'agit d'une sorte de pièce de théâtre mise en musique, dans laquelle texte, intrigue et musique ont une importance égale. Les multiples aspects techniques (décors, costumes, lumières, chorégraphies...) font d'un opéra une véritable œuvre d'art « total ». L'opéra n'a pas de forme bien précise en dehors des éléments fondamentaux que sont l'ouverture (introduction instrumentale), le récitatif vocal ou les dialogues parlés, les airs, les intermezzos et les finales conclusifs. L'opera seria, l'opera bufa, le bel canto, le Singspiel allemand, l'opéra vériste... sont autant de genres à part entière. *Dafné* (1594), du Florentin Jacopo Peri, est la première œuvre du genre répertoriée (mais elle est aujourd'hui perdue) ; elle sera suivie de très nombreux chefs-d'œuvre signés par les plus grands compositeurs.

LES MOTS DU CLASSIQUE

OUVERTURE : Toutes les grandes œuvres chantées, de même que certaines œuvres comportant plusieurs mouvements, sont en général introduites par un prélude instrumental : l'ouverture. Jusqu'au XVIIIe siècle, où elle peut être « à la française » ou « à l'italienne », l'ouverture est régie par des règles très strictes.

QUINTETTE : Né en même temps que le quatuor à cordes, ce dernier genre consiste soit en un quatuor à cordes dans lequel l'alto ou le violoncelle est doublé, soit en un quatuor augmenté d'un instrument (le piano, la clarinette), soit encore en un ensemble constitué librement. Outre le quatuor et le quintette, des œuvres de musique de chambre ont été composées pour trois (trio), six (sextuor), sept (septuor) ou huit instruments (octuor).

SYMPHONIE : Forme majeure de la musique classique issue des différentes formes de la musique baroque, la symphonie prend son aspect définitif à l'époque classique. Il s'agit d'une œuvre orchestrale en trois ou quatre mouvements : un premier modéré de forme sonate, un second lent, un menuet (ou à partir de Ludwig van Beethoven, un *scherzo*) et un ultime animé. Si Mozart ou Haydn confèrent à la symphonie sa forme classique, Beethoven va être à l'origine d'une petite révolution. La symphonie sera après lui investie d'un contenu personnel ou programmatique. Les dimensions vont peu à peu s'amplifier et les œuvres de Bruckner ou de Mahler vont frapper par leur gigantisme.

TRIO : Sous sa forme classique, le trio est composé par le piano, le violon et le violoncelle. Il fascina les plus grands compositeurs. Mais à côté de ce trio classique, on trouve également le trio à cordes (violon, alto, violoncelle) et le trio d'anches (hautbois, clarinette, basson).

VARIATION : Par œuvre à variations, on entend une œuvre pour instrument seul ou pour orchestre, formée par un thème qui est ensuite repris et décliné dans une série de différentes « versions » dans lesquelles le thème, les harmonies, les timbres ou les rythmes peuvent varier. Parfois, c'est la base harmonique d'une pièce qui peut tenir lieu de thème, parfois également le thème peut être pris chez un autre compositeur.